SIN SANTIDAD NADIE LE VERA

YIYE AVILA

EDITORIAL
Carisma

Publicado por
Editorial **Carisma**
Miami, Fl. U.S.A.
Derechos reservados

Primera edición (Carisma) 1994

Cubiera diseñada por: Héctor Lozano

Producto 550043
ISBN 1-56063-742-0
Impreso en Colombia
Printed in Colombia

CONTENIDO

Capítulo 1

Creciendo en santidad

Hebreos 12:14 dice: *"Seguid la paz con todos, y la santidad sin la cual nadie verá al Señor"*. Observe que este texto une la PAZ y la SANTIDAD. Primero dice que debemos procurar la paz con todo el mundo. Debemos anhelar y esforzarnos por estar en paz con todos los hermanos. Esto exige amor y misericordia. La Regla de Oro que dice que hagamos a otros como nos gustaría que ellos hicieran con nosotros. La Palabra dice: *"...porque con la medida con que medís, os será medido, y aun se os añadirá a vosotros los que oís"* (Marcos 4:24). La segunda parte de Hebreos 12:14 dice: *"...y la santidad sin la cual nadie verá al Señor"*. Sin santidad nadie verá al Señor. Debemos tener un conocimiento claro y preciso de lo que esto implica.

GUARDAR TODA JUSTICIA

Mateo 3:13-15 dice que cuando Jesús llegó a las aguas del Jordán para ser bautizado por Juan el Bautista, éste no lo quería bautizar. *"Yo necesito ser bautizado por ti..."*, dijo Juan, pues lo había identificado, y sabía quién era. Pero Jesús le dijo: "Deja ahora, porque así conviene que guardemos toda justicia". Es decir, conviene que guardemos aun aquello que creemos pequeño o insignificante en la Palabra. No es que está condenado o perdido. Es que si conviene hay bendición de Dios en ello. Yo anhelo todas las bendiciones de Dios. Algunos se conforman con migajas, como la mujer cananea; yo no quiero migajas; quiero el pan completo, el integral, de la panadería del tercer cielo, para estar bien alimentado y alcanzar gracia para con Dios. Algunos no le dan importancia a esto, pero la Palabra dice: *"Cazadnos las zorras, las zorras pequeñas, que echan a perder las viñas"* (Cantares 2:15). ¿Por qué Jesús tenía que bautizarse? El no había pecado. El bautismo de Juan era un bautismo de arrepentimiento. ¿De qué tenía Jesús que arrepentirse? De nada. Lo hizo para darnos ejemplo. Para demostrar que aun El, que era el Hijo de Dios, se sometía a la voluntad de Dios. Dio ejemplo de humildad, mansedumbre y obediencia. CONVIENE QUE GUARDEMOS TODA JUSTICIA. Obedezca la Palabra. Dios demanda que seamos hacedores de ella, no sólo oidores (Santiago 1:22).

CRECER EN SANTIDAD

Apocalipsis 22:11 dice: *"El que es injusto, sea injusto todavía, y el que es justo, practique la justicia, y el que es santo, santifíquese todavía"*. En otras palabras, dice que el que está sucio, se ensucie más. Pero el que es justo sea más justo todavía. Esfuércese para ser aún más justo. *"El que es santo, santifíquese todavía"*. Es decir, que el que es santo, santifíquese aún más. Es como si dijéramos: "el que esté limpio, límpiece más". Si está limpio, límpiese más. Si es santo, santifíquese más. Juan le está hablando a gente santa y limpia, sin embargo, el Señor reclama que se limpien y se santifiquen aún más. Cristo dijo: *"Sed, pues, vosotros perfectos, como vuestro Padre que está en los cielos es perfecto"* (Mateo 5:48). Nos llamó a perfección; algo más que santidad. En la santidad aún hay espacio para ser más santos. Podemos estar limpios delante de Dios y limpiarnos más. Pero si se es perfecto, se ha alcanzado la plenitud. Tenemos que seguir esforzándonos hasta alcanzar la altura de la plena bendición de Dios.

Muchas veces, caemos en el error de criticar y hasta condenar a personas que están limpios y santificados delante de Dios, pero cuya apariencia nos hace dudar de ello. Les falta limpiarse y santificarse un poco más. Porque si están santificados, no están condenados, ni irán al infierno. Pero pueden limpiarse y santificarse más para dar más fruto y evitar que otros le juzguen.

META QUE ALCANZAR

No es cuestión de la salvación del alma solamente. Hay una bendición muy importante y decisiva, que debemos esforzarnos por alcanzar: EL RAPTO DE LA IGLESIA. Estamos luchando por dos cosas: la salvación y el Rapto. En 1 Tesalonicenses, capítulo 5, verso 23, encontramos un mensaje del apóstol Pablo para nosotros, los que queremos irnos en el Rapto. Dice: *"Y el mismo Dios de paz os santifique por completo; y todo vuestro ser, espíritu, alma y cuerpo, sea guardado irreprensible para la venida de nuestro Señor Jesucristo"*. Veamos algunos detalles de esta preciosa escritura:

1. *"Y el mismo Dios de paz..."* Dios es un Dios de Paz y quiere que vivamos en paz los unos con los otros.

2. *"...os santifique por completo..."*, puede haber santidad, y limpieza, pero puede que no estemos completamente santos y limpios.

3. *"...y todo vuestro ser, espíritu, alma y cuerpo..."*, Dios está interesado en todas las áreas de nuestro ser. El espíritu, el alma y el cuerpo.

4. *"...sean guardados irreprensibles..."*, irreprensible significa, que no hay motivo por el cual ser reprendido.

5. *"...para la venida de nuestro Señor Jesucristo"*. Implica que seamos dignos de ser levantados en el Rapto.

En este verso Pablo no está hablando de la salvación del alma, sino de la Segunda Venida de Cristo. Específicamente del Rapto, que es lo primero que va a ocurrir en relación con la Segunda Venida de Cristo.

SANTIDAD POR DENTRO Y POR FUERA

Para ser hallados dignos de ser levantados en el Rapto, tenemos que estar limpios por dentro y por fuera. Esto no es nuevo. Jesucristo lo predicó. El dijo: *"Límpiece primero el interior del vaso"* (Mateo 23:26). Porque lo de adentro es lo eterno, lo espiritual. Por eso es lo más importante. Límpiece primero el interior del vaso. Si no nos limpiamos por dentro, de nada sirve que lo hagamos por fuera. Nos pasaría como a los fariseos que lucían limpios y religiosos por fuera, con sus vestiduras honestas e impresionantes, pero Jesús dijo que eran "sepulcros blanqueados". ¿Quién puede esconderse de Dios? Usted puede arreglarse por fuera, pero si está sucio por dentro, El lo ve sucio. Lo ve como un hipócrita. Los sepulcros se ven muy atractivos por fuera, pero por dentro están llenos de huesos, sólo respiran muerte. Por eso, Jesús dijo: *"Límpiece primero el interior del vaso, y también se limpiará el exterior"*.

Dios es un Dios de orden. Hay que limpiarse primero por dentro: espíritu y alma. Entonces, añadió: *"Límpiece también el exterior"*. El no dijo que podía permanecer sucio por fuera. La Biblia dice que el que es santo, santifíquese más. Si está obrando justicia, obre más justicia, esfuércese más todavía. Este es un camino de superación, no de conformismo. Es importante sentir la salvación y el Espíritu de Dios, pero hay otras cosas que debemos añadir a nuestras vidas, para limpiarnos, santificarnos y acercarnos más a Dios, y ser más justos delante de El. Estamos en el mundo, pero no somos del mundo. Somos de arriba. Por tanto, no podemos lucir como los del mundo. Somos diferentes.

Esto es importante porque tiene relación con el Rapto. Está en la Biblia y así debo predicarlo, obedecerlo y enseñarlo. Límpiece primero el interior del vaso y luego el exterior. La santidad abarca los tres componentes de la criatura que somos nosotros. Así como Dios es Trino, nosotros somos una criatura tripartita. Dios es Trino: El Padre, el Hijo y el Espíritu Santo son una sola cosa. Nosotros también somos un ente tripartita: espíritu, alma y cuerpo. Los tres forman una persona, y toda esa persona tiene que ser santa. Amén.

Capítulo 2

Santidad interior

Veamos qué significa "por dentro", ya que el interior es lo primero que el Señor dijo que había que limpiar. Si lo de adentro está sucio, lo de afuera no significa nada. Sería un disfraz de hipocresía. Montones de evangélicos tienen ese disfraz. Por fuera lucen muy limpios, muy santos, realmente impresionantes, y por dentro están llenos de engaño, mentira, odios, rencores, vanagloria, soberbia, y otras cosas negativas. La condenación será peor para ellos que para los que están sucios por fuera y por dentro, ya que estos últimos son menos hipócritas.

SANTIDAD DEL ESPIRITU

Lo primero es el espíritu. Porque eso somos usted y yo, un espíritu. *"Lámpara de Jehová es el espíritu del hombre"* (Proverbios 20:27). Un espíritu santificado posee la naturaleza de Dios. Dios le ha impartido Su naturaleza, Su AMOR, Su gozo, Su paz, Su mansedumbre, Su paciencia, Su bondad, Su fe, y Su templanza. Eso es un espíritu santificado, y todo esto procede de Dios. Antes de conocer al Señor teníamos un espíritu soberbio, terco, arrogante. Pero Jesús ha entrado y nuestro espíritu se introdujo dentro del Señor, se escondió en Jesús. Ahora es el Señor el que se manifiesta a través de nuestro espíritu. Ese ESPIRITU SANTIFICADO tiene comunión con Dios, lleva fruto para El y recibe guianza precisa del ESPIRITU SANTO para movernos en Su perfecta voluntad.

SANTIDAD DEL ALMA

La Palabra dice que también tenemos que estar santificados en el alma. El alma es el asiento de nuestras emociones. En Getsemaní, Jesús dijo: *"Mi alma está triste..."*. Fue una emoción que se manifestó a través de Su alma debido a la trágica situación por la que estaba pasando. Las emociones de un alma santificada son santas, espirituales y limpias. La Biblia habla de un hombre que se expresó así: *"...alma, muchos bienes tienes guardados para muchos años; repósate, come, bebe, regocíjate"* (Lucas 12:19). Así se expresa un alma inconversa. Pero David, siervo de Dios, rey y profeta de Israel, dijo: *"Mi alma tiene sed de Dios, del Dios vivo"*.

Si su alma está limpia y llena del Espíritu Santo, usted es santo, y sus emociones son espirituales. Usted anhelará danzar en el espíritu, cantar coritos, gozarse en el Señor, leer la Palabra de Dios y ver Sus milagros y señales. Sus anhelos y sus emociones son espirituales. Se emociona y se ríe en el espíritu. Llora cuando ve las almas perdidas y se goza cuando éstas se convierten a Cristo. Con el pecador no sucede así. Este salta y grita cuando ve que el jugador conecta un cuadrangular. Sus emociones son carnales. Se goza cuando lo invitan a un banquete, para llenar su estómago. Ríe y llora viendo películas, novelas y programas mundanos, disfruta la música mundana y siente placer participando de las actividades de los pecadores.

Con el creyente no sucede lo mismo. Este ha sido limpiado y santificado por dentro. Su alma está llena del amor de Dios, de mansedumbre, de humildad y de otros frutos del Espíritu. Jesús dijo: *"De cierto, de cierto te digo, que el que no naciere de nuevo, no puede ver el reino de Dios"* (Juan 3:3). Está hablando de un nacimiento interno, que viene de arriba, de Dios, en el cual Dios entra y toma dominio de nosotros. El vive en nosotros y nos llena de Su santidad. Entonces, usted es santo, porque ya no vive usted; El vive en su espíritu y se manifiesta a través de su persona. Como el apóstol Pablo podemos decir *"...ya no vivo yo, mas vive Cristo en mí..."* (Gálatas 2:20).

EL HOMBRE ESPIRITUAL

El hombre espiritual ha sido santificado por el poder del Espíritu Santo. Vive la santidad que Dios demanda en espíritu, alma y cuerpo. Sabe lo que le pertenece en Cristo saca ventaja de ello. Progresa espiritualmente porque saca tiempo para leer y estudiar la Palabra de Dios hasta que ésta se convierte en parte de sí mismo. Mantiene una íntima relación con el Padre, llegando a conocerle profundamente a través de las enseñanzas y el ministerio de Cristo. Conoce a Jesús como Salvador y Señor, pero le reconoce también como su Sumo Sacerdote e Intercesor. Está consciente de la autoridad que posee como creyente en el Señor Jesús, quien está sentado a la diestra del Padre.

El hombre santificado en su interior conoce al Espíritu Santo como Consolador, Consejero, Ayudador, Intercesor y Maestro. El Espíritu Santo le capacita para servir al Señor; en el Reino de Dios no se consigue nada sin Su ayuda. Es el secreto del éxito del hombre espiritual en su vida y en su ministerio. Otra característica del hombre espiritual es que sabe cuál es su herencia en Cristo. *"El cual nos ha librado de la potestad de las tinieblas, y trasladado al reino de su amado Hijo, en quien tenemos redención por su sangre y el perdón de pecados"* (Colosenses 1:13-14). El hombre espiritual sabe que Satán no tiene autoridad sobre él, y sabe que tiene una herencia en Cristo que lo capacita para hacer proezas para Dios.

El hombre espiritual ha descubierto que su capacidad proviene de Dios (2 Corintios 3:5). Puede decir como Pablo: *"Todo lo puedo en Cristo que me fortalece"* (Filipenses 4:13). A diferencia del hombre carnal, el hombre espiritual es gobernado por la Palabra de Dios y no por sus sentidos. Permite que la Palabra de Dios le controle, eliminando así el poder de Satán sobre él. Es un cristiano victorioso que se alimenta diariamente de la Palabra de Dios, sabiendo que, lo que es el pan para su cuerpo físico, es la Palabra de Dios para su espíritu.

No se desanime si no se convierte en un gigante espiritual de la noche a la mañana. En el ámbito espiritual, lo mismo que en el natural, el crecimiento no es instantáneo. Pero según usted continúa avanzando con persistencia y perseverancia, crecerá espiritualmente. Cuando un agricultor siembra su semilla, no se desanima si no obtiene una cosecha inmediata. El sabe que a la semilla le toma tiempo crecer. A medida que usted aplica y se somete a la Palabra de Dios, el crecimiento vendrá. El Espíritu Santo le enseñará y le ayudará, y usted comenzará a apropiarse de todo aquello que le pertenece en Cristo Jesús.

SANTIFICADOS POR EL AMOR

La santidad interior se manifiesta a través del fruto del Espíritu. El alma y el espíritu que es santificado por el Espíritu Santo, primeramente ama. Jesús dijo que el mundo nos conocería por el AMOR. *"En esto conocerán todos que sois mis discípulos, si tuviereis amor los unos con los otros"* (Juan 13:35). Lo más hermoso de la naturaleza de Dios es el amor. Ese amor de Dios ha sido derramado en nuestros corazones por el Espíritu Santo que nos ha sido dado. Cuando amamos como Dios nos ama, el sentir del Espíritu Santo está en nosotros. El sentir de Dios en nosotros es un anhelo porque las almas se salven. Por esto 1 Pedro 4:8 nos dice: *"Y ante todo tened entre vosotros ferviente amor, porque el amor cubrirá multitud de pecados"* ¿Cuándo es que el amor cubre pecados? Santiago 5:20 dice: *"Sepa que el haga volver al pecador del error de su camino, salvará de muerte un alma, y cubrirá multitud de pecados"*.

El camino más excelente, como dice Pablo en 1 Corintios 12:31, es el del amor. Permitamos que el amor de Dios brote a raudales de nuestros corazones, permitiendo que seamos conocidos por nuestro amor. Es lastimoso ver hermanos que son conocidos por su arrogancia, sus enojos, sus iras, su indiferencia y su falta de amor. Estas son obras de la carne, las cuales hay que poner a los pies de Cristo para que El opere el milagro de la transformación y santificación interna.

SANTIFICADOS POR LA FE

Para ser participante de la naturaleza divina, es necesario creer que El es el autor de la FE y de toda buena dádiva. En Romanos 1:17 dice: *"Porque en el evangelio la justicia de Dios se revela por fe y para fe, como está escrito: Mas el justo por la fe vivirá"*. Y Hebreos 11:6 añade: *"Pero sin fe es imposible agradar a Dios..."*. Todo lo que de nosotros agrada a Dios, santifica nuestras vidas. Para que nuestra fe esté bien fundamentada tenemos que conocer bien al autor y consumador de nuestra fe: A Cristo. El conocer a Cristo, hará que querramos ser como El. Fe es unión con Cristo, y esta unión envuelve y garantiza una semejanza con Cristo cada vez mayor.

Los discípulos reconocieron la importancia de crecer en la fe, por lo que le dijeron a Jesús: *"Auméntanos la fe"* (Lucas 17:5). Cuando el cristiano toma de la santidad, la fe, el amor, la paciencia y la gracia de Jesús para aplicarla a cada situación que se le presenta, está viviendo en la santidad de Cristo. Por la FE nos apropiamos de Sus atributos.

SANTIFICADOS POR LA PALABRA

Cuando Jesús oró por Sus discípulos dijo: *"Santifícalos en tu verdad; tu palabra es la verdad"* (Juan 17:17). De esta escritura aprendemos primeramente que Dios es el que santifica. Cuando aceptamos a Cristo como nuestro Salvador nacemos de nuevo, nacemos del Espíritu. Al nacer del Espíritu, nuestras motivaciones, aficciones y prioridades cambian. Se despierta en nosotros un interés por las cosas espirituales, por las cosas que a vida eterna permanecen. Este nuevo nacimiento nos separa del pecado y nos prepara para servir a Dios. Todo esto es obra de Dios, El es el que santifica.

En segundo lugar, aprendemos que Dios nos santifica por medio de Su Palabra. Su VERDAD está contenida en Su Palabra. En 2 Timoteo 3:16-17 dice: *"Toda Escritura es inspirada por Dios, y útil para enseñar, para redargüir, para corregir, para instruir en justicia, a fin de que el hombre de Dios sea perfecto, enteramente preparado para toda buena obra"*. Cuando permitimos que Su Palabra nos instruya, nos redarguya, nos corrija y nos enseñe a ser justos, vamos por el camino de la santificación que nos conduce a la perfección.

Hebreos 4:12 dice: *"La Palabra de Dios es viva y eficaz, y más cortante que toda espada de dos filos; y penetra hasta partir el alma y el espíritu, las coyunturas y los tuétanos, y discierne los pensamientos y las intenciones del corazón"* Esto es santificación a través de la Palabra. Ella es como un espejo; cuando uno se mira en ella, puede evaluar su condición espiritual. Santiago 1:25 dice: *"Mas el que mira atentamente en la perfecta ley, la de la libertad, y persevera en ella, no siendo oidor olvidadizo, sino hacedor de la obra, éste será bienaventurado en lo que hace"*.

En 2 Corintios 3:18 hay una hermosa descripción de la santificación de todo nuestro ser: *"Por tanto, nosotros todos, mirando a cara descubierta como en un espejo la gloria del Señor, somos transformados de gloria en gloria en la misma imagen, como por el Espíritu del Señor"* Mientras contemplamos la gloria de Cristo, nuestras vidas son transformadas a Su imagen. La única forma de contemplar a Cristo es a través de Su Palabra. Contemplándolo diariamente iremos adquiriendo sus rasgos; a saber: amor, gozo, paz, paciencia, bondad, benignidad, fe, mansedumbre, templanza.

¿Quién ha llegado a ser como Jesús a través de una sola experiencia? Nadie. Esto es un proceso continuo conforme nos miramos en el espejo de la Palabra. Tampoco hay un grado de santidad determinado que debamos alcanzar para tener experiencias con el Señor. Dentro de nuestra imperfección, Dios nos da experiencias para ayudarnos a crecer en santidad. Abraham, Moisés y Pablo no eran santos al momento de tener una confrontación con Dios, pero ese encuentro produjo santificación en ellos y en ella fueron creciendo según se consagraban a Dios.

Sabemos que aún nos falta mucho por aprender y crecer en la santificación de nuestras vidas; tenemos la certeza de que como dice la Palabra: *"...aún no se ha manifestado lo que hemos de ser; pero sabemos que cuando él se manifieste, seremos semejantes a él, porque le veremos tal como él es. Y todo aquel que tiene esta esperanza en él, se purifica a sí mismo, así como él es puro"* (1 Juan 3:2-3).

La falta de santidad en el pueblo de Dios se debe en parte a la falta de conocimiento de la Palabra. Ella es el instrumento que Dios usa para santificarnos, pero lamentablemente no se le está dando la atención que merece. La Palabra es eficaz y hace aquello para lo cual es enviada: redarguye, revela el pecado, despierta conciencia, revela el carácter de Cristo a quien debemos imitar, y crea convicción en los corazones. Además, tiene poder para separar al hombre de las obras del mundo, de la carne y del diablo.

La Palabra nos enseña cómo debemos vivir. Abarca todas las áreas de nuestra vida. En ella, encontramos directrices para nuestras necesidades financieras, nuestra sexualidad, nuestra vida en el hogar, nuestros ministerios, vida de oración y trabajo, etcétera. Cuando fallamos, acudimos a la Palabra y encontramos el manantial de vida que nos perdona, limpia, purifica y santifica. Encontramos que Cristo sigue amando nuestras almas, *"para santificarla, habiéndola purificado en el lavamiento del agua por la Palabra"* (Efesios 5:26). La santidad que es por la Palabra vivifica nuestras almas. Por esto el salmista dice en el Salmo 119:154: *"Defiende mi causa y redímeme; vivifícame con tu palabra"*.

Debemos mirarnos en el espejo de la Palabra diariamente para LIMPIARNOS y SANTIFICARNOS; el Espíritu Santo usa la Palabra para guiarnos en el camino de la PERFECCION. Escudriñemos nuestros caminos y dejemos que el Espíritu Santo realice Su obra en nosotros, *"pues el que comenzó en vosotros la buena obra, la perfeccionará hasta el día de Jesucristo" (Filipenses 1:6).*

SANTIFICADOS POR SU SANGRE

El primer paso para iniciarse en una vida de santidad es aceptar a Cristo como único y exclusivo Salvador. Aceptarle es reconocer que Su sangre nos limpia de todo pecado.

Cuando el hombre pecó, perdió la santidad conque Dios le creó y cayó de la gracia bajo sentencia de muerte. Dios elaboró un plan para rescatarlo de la muerte y restaurarlo a su naturaleza original, haciendo que volviese a la comunión con Su Creador. Dios se hizo hombre para morir en nuestro lugar. Mediante el derramamiento de Su sangre, no sólo nos libertó de la maldición del pecado, sino que nos adoptó como hijos. Antes éramos esclavos del pecado, ahora somos Sus hijos; tenemos herencia en Su reino celestial. ¡Aleluya! Su Palabra dice: *"Pero cuando vino el cumplimiento del tiempo, Dios envió a Su Hijo, nacido de mujer y nacido bajo la ley, para que redimiese a los que estaban bajo la ley, a fin de que recibiésemos la adopción de hijos"* (Gálatas 4:4-5).

Cuando Pablo vive su experiencia de conversión, Jesús se le aparece y lo envía a los gentiles diciéndole: *"Para que abras sus ojos, para que se conviertan de las tinieblas a la luz, y de la potestad de Satanás a Dios; para que reciban, por la fe que es en mí, perdón de pecados y herencia entre los santificados"* (Hechos 26:18). Después de su conversión, ya hecho un discípulo de Jesús, Pablo exhorta a los colosenses acerca de lo que él mismo ha experimentado: *"Con gozo dando gracias al Padre que nos hizo aptos para participar de la herencia de los santos en luz; el cual nos ha librado de la potestad de las tinieblas, y trasladado al reino de su amado Hijo, en quien tenemos redención por su sangre, el perdón de pecados"* (Colosenses 1:12-14).

Si aún no ha aceptado a Cristo como su Salvador personal, hoy es día de salvación. Cristo le ofrece un traslado del mundo de las tinieblas al mundo de la luz. Le ofrece hacerle Su hijo con derecho a una herencia incorruptible en los cielos. No deje pasar esta oportunidad y haga la decisión más sabia y más importante de su vida.

SANTIFICADOS POR EL SERVICIO

Vimos que SANTIDAD es separación del pecado y consagración a Dios. En cuanto a la consagración de nuestras vidas a Dios, la Biblia dice: *"...os ruego por las misericordias*

de Dios, que presentéis vuestros cuerpos en sacrificio vivo,
santo, agradable a Dios, que es vuestro culto racional"
(Romanos 12:1). Cuando dedicamos nuestras vidas a Su
servicio, viviendo para El y creciendo en santidad, podemos
decir que estamos presentando nuestros cuerpos en sacrificio
vivo a El.

El apóstol Pablo dice que presentemos los miembros de
nuestro cuerpo como instrumentos de justicia (Romanos
6:13). Cuando éramos del mundo presentábamos nuestros
cuerpos como instrumentos de pecado, mas ahora que le
hemos conocido presentamos nuestros cuerpos para servir a
la justicia (Romanos 6:19). Según Pablo, este es nuestro culto
racional; o sea, que nuestro servicio, trabajo u ofrenda a Dios,
es una forma consciente de adorarle y honrarle. La Biblia
dice: *"Porque el amor de Cristo nos constriñe, pensando*
esto: que si uno murió por todos, luego todos murieron; y por
todos murió, para que los que viven, ya no vivan para sí, sino
para aquel que murió y resucitó por ellos" (2 Corintios
5:14-15).

LA SANTIDAD Y EL TESTIMONIO

La santidad es característica de la naturaleza moral de
Dios. Esa naturaleza es impartida a nosotros a través de la
Palabra por medio del Espíritu Santo. Cuando el nuevo
creyente entra a la comunidad de los fieles, se producen
cambios en su vida y conducta. DIOS DEMANDA DE NO-
SOTROS UNA VIDA SANTA, TANTO EN NUESTRA NA-
TURALEZA INTERIOR COMO EXTERIOR. El producto
principal del Espíritu Santo es la santidad, y como conse-
cuencia, viene el darse en servicio para ganar a otros para
Cristo. Cuando esa naturaleza divina se manifiesta en nosotros, aún los no creyentes reconocen que somos de Jesús
porque nuestro testimonio es limpio delante de Dios y de los
hombres. Nuestra conducta hablará más fuerte que nuestras
palabras, ya que viviremos lo que predicamos.

Los que no han sido lavados en la sangre de Cristo participan de la naturaleza del diablo. Estos son del mundo, y sus pasiones, deseos y apetitos están controlados por el maligno. Esa naturaleza mundana se manifiesta en glotonería, borrachera, ira, malicia, venganza, avaricia, celos, orgullo, pasiones desordenadas, amor exagerado por el dinero, por el poder, por la fama, y otros.

SANTIDAD Y OBEDIENCIA

En 1 Pedro 1:2 habla de la santidad por el Espíritu para obedecer. El Espíritu Santo es tan gentil que no nos obliga a hacer su voluntad, sino que usa su gentileza para enamorarnos, educarnos y advertirnos. Filipenses 2:13 dice que Dios es el que en nosotros produce, tanto el querer como el hacer, por su buena voluntad. El hombre espiritual siente satisfacción en obedecer a Dios. Por el contrario, la desobediencia produce frustración, inseguridad y sentido de culpa.

La desobediencia es rebelión, y el crecimiento de la santidad se detiene cuando ella domina. Cuando nos sometemos a la voluntad de Dios sentimos gozo y paz en nuestros corazones. De modo que, o nos sometemos a El, o viviremos una vida sin el disfrute de Su gracia, Su presencia y Su santidad.

Capítulo 3

Santidad exterior

Jesús dijo: *"límpiece primero el interior del vaso"*, pero también dijo que había que limpiar el exterior. Esa es la parte que suscita tanta controversia hoy en día. Todo el mundo está de acuerdo en que hay que limpiarse por dentro, pero cuando hablamos de santificación externa, muchos hacen una mueca y dicen: "Dios no mira lo de afuera". ¿Cómo es posible que Dios vea lo de adentro y no lo de afuera? Dios ve lo de afuera, y le da importancia.

La Escritura dice que NUESTRO CUERPO ES TEMPLO DEL ESPIRITU SANTO. Dios se ocupa también de nuestro cuerpo. ¿Quién no le da importancia a la casa terrenal donde vive? ¿A quién no le gusta que la casa donde vive esté limpia y ordenada? ¿A quién le gustaría vivir en una casa desordenada? Nuestro cuerpo es el TABERNACULO DE DIOS. Es la morada del Señor. Estamos escondidos con Cristo en Dios. Nuestra casa tiene que ser digna del Señor.

SIN JUZGAR A NADIE

En Mateo 23:25 Jesús demanda limpieza interior y exterior. ¿Cuál es la limpieza de afuera que demanda el Señor? ¿Cuál es la santidad externa que demanda la Biblia? Dios NO me llamó a mí a juzgar, sino a enseñar y a predicar. La Palabra dice: *"Todas vuestras cosas se hagan en amor"* Amamos al pueblo de Dios y deseamos lo mejor para ellos. Anhelamos que estén limpios y que sean santos.

Hay hermanos llenos del Espíritu Santo y de amor. Su alma y sus anhelos son espirituales y agradables a Dios. Nadie puede decir que no son salvos. Sin embargo, por fuera, lucen como los del mundo. ¿Deben permanecer así? ¡No! El que esté limpio, límpiece más, y el que es santo, santifíquese aún más, dice la Palabra de Dios. Estamos en el mundo, pero no somos del mundo. Nuestra patria está en el cielo. No seamos esclavos de los hombres, pero vivamos conforme a la Palabra.

Es una falta de amor mirarlos y juzgarlos; decir que están condenados y que irán al infierno. Algunos de ellos están más cerca de Dios de lo que nosotros pensamos. De nada sirve estar bien por fuera, si el viejo hombre domina nuestras vidas.

Mas no se debe pasar por alto lo de afuera. No se puede ignorar porque está en la Biblia. Cristo dijo que conviene que guardemos toda justicia. Debemos guardar toda la Palabra; ser hacedores de ella y no solamente oidores. Ese es el mensaje del Señor para Su pueblo: Oíd y haced; oíd y obedeced.

SANTIDAD EXTERNA

¿Qué dice la Biblia en cuanto a la santidad externa? 1 Timoteo 2:9 dice: *"Asimismo, que las mujeres se atavíen de ropa decorosa, con pudor y modestia; no con peinado ostentoso, ni oro ni perlas, ni vestidos costosos, sino con buenas obras, como corresponde a mujeres que profesan piedad".* Pablo dice bien claro que la mujer debe vestir honestamente. Ropa honesta es aquella que no provoque a un varón a caer en tentaciones. Las modas cambian continuamente, pero el Señor es el mismo ayer, hoy y por todos los siglos.

Los diseñadores de modas se enriquecen a costa de la vanidad de la gente. No nos dejemos dominar por la ambición de gente mundana y pecadora, que cambian la moda cada temporada del año para devengar cuantiosas ganancias. Existe un gran porcentaje de DISEÑADORES HOMOSEXUALES, los cuales, HAN IDO AFEMINANDO LA VESTIMENTA MASCULINA, y es triste ver que aun jóvenes cristianos están siendo arrastrados por modas extravagantes que desvirtúan su masculinidad, y ponen en entredicho su testimonio cristiano.

No se dejen arrastrar por el mundo y su concupiscencia. Actúe como ciudadano del cielo. Cuando Adán y Eva pecaron el Señor los vistió. Estos se habían escondido porque sintieron vergüenza al verse desnudos. Apocalipsis 3:18 dice: *"Para que no se descubra la vergüenza de tu desnudez"*. Adán y Eva no tenían conocimiento del bien y del mal. Estaban desnudos, como dos niños, y muy tranquilos. Pero cuando pecaron, vino el conocimiento y se escondieron. Sentían vergüenza, y buscaron hojas y se cubrieron, pero aún así no se atrevieron salir. Su vestimenta, NO ERA APROPIADA. Así sucede con muchas mujeres evangélicas. Su ropa no es lo suficientemente honesta como para agradar a Dios y no provocar al varón. No muestres la vergüenza de tu desnudez. La desnudez es una vergüenza porque provoca la muerte de otros (muerte espiritual).

El Señor vistió a Adán y a Eva con túnicas de pieles. Las túnicas cubren el cuerpo de arriba a abajo. Aquí hay un punto muy interesante, y es que Dios vistió a Adán completamente. Cubrió muy bien sus cuerpos. Ya el pecado había entrado en ellos. Ya se habían despertado los sentidos y la malicia. De ahí en adelante la desnudez sería una vergüenza.

En una ocasión el Señor me dijo lo siguiente: "Así como hay varones que caen en tentación al codiciar mujeres que visten deshonestamente, hay mujeres que codician varones que VISTEN DESHONESTAMENTE. Estos salen sin camisa y con pantalones cortos, exhibiendo sus carnes, y hay mujeres carnales que los miran y los codician". Cada varón cristiano es responsable delante de Dios de no provocar la caída de nadie. Debemos ser antorchas encendidas para que otros vengan al conocimiento de Cristo.

Hace algunos años el Señor me mostró que las mujeres que vestían con FALDAS Y TRAJES MUY CORTOS, EXHIBIENDO SUS CARNES, ERAN OPRIMIDAS POR

UN ESPIRITU DE RAMERA. Todo para provocar los varones a codiciarlas. Años atrás ninguna mujer utilizaba este tipo de VESTIMENTA INMORAL. Sólo las rameras que se paraban en las esquinas de las calles levantaban sus vestidos para provocar a los varones a salir con ellas. MUJER, VISTA HONESTAMENTE, como le agrada a Dios (1 Timoteo 2:9). Conviene que guardemos toda justicia. El que esté limpio, límpiese más. El que es santo, santifíquese aún más. VISTA PARA DIOS. Camine para Dios. Haga todo para Dios, sea mujer o hombre. Cuando traemos esta enseñanza, a muchos se le va el gozo y la sonrisa se le apaga. Pero sonríase, pues toda la Palabra es para darle vida, para bendición, para edificarle y prepararle para el Rapto que viene.

¿PANTALONES EN LA MUJER?

En Deuteronomio 22:5, la Biblia dice bien claro que la mujer no vista como varón, ni el varón como mujer. Dios me ha hablado varias veces de esto, y me ha dicho: "Lo grande de esto es, LO PROVOCATIVO DE LA MODA DEL PANTALON EN LA MUJER para hacer caer a los varones". Dios me explicó algo que yo nunca había entendido, ni había predicado: que el cuerpo de la mujer no es como el del varón. Es un cuerpo femenino, con líneas y formas distintas a las del varón. Su forma es más provocativa cuando usa pantalones, que es vestidura de hombre. Muchas de ellas, llenas de la vanidad de este mundo, los usan bien ceñidos para llamar la atención y provocar. Lo hacen intencionalmente.

Pero la mujer de Dios no es igual a la del mundo, no es instrumento del diablo. Es instrumento del Espíritu Santo y tiene que cuidarse de no ser usada por Satanás para hacer caer al varón. Recordemos que un hombre, lo mismo que una mujer, puede adulterar en su corazón al codiciarla(o). De modo, que vista como dice Pablo, HONESTAMENTE, cuidándose de no ser usada por Satanás para hacer caer a un varón por el que Jesucristo murió, y menos aún a un siervo de Dios.

Cuarenta años atrás, cuando comencé a trabajar como maestro de escuela, ninguna mujer usaba pantalones. Sin embargo, la nueva generación cree que ha sido una moda de siempre, y los usa para todo. Es un modernismo de los últimos días. De los días de apostasía que Pablo profetizó para este tiempo final. Es una señal de que estamos en el tiempo de la apostasía. Es típico de la última generación. Antes, cuando las mujeres no usaban pantalones, los hombres solían decir con libertad: "Aquí soy yo el que lleva los pantalones". TODO EL MUNDO ENTENDIA QUE EL PANTALON ERA ALGO TIPICO DEL VARON. Ahora no pueden decir eso, pues todos en la casa usan pantalones. Ciertamente, los hombres que usaban esta expresión, querían resaltar su machismo y tiranía, pero lo que yo quiero resaltar es que se sabía que el pantalón era típico del varón y no se concebía que una mujer lo usara.

ROPA CORTA Y CEÑIDA

No solamente los pantalones son provocativos. Los diseñadores de moda se encargan de complacer todos los gustos. Vemos trajes y faldas ceñidos y cortos, escotes provocativos, etcétera, para hacer de la mujer, no una más bella como dicen ellos, sino una más provocativa y sensual. La mujer que viste y se arregla conforme demanda la Palabra, posee la belleza del Espíritu, honra á Dios y dignifica el Evangelio.

Sin embargo, no debemos ser exagerados. Cuando el apóstol Pablo habla de vestidos costosos, no quiere decir que vistamos con mal gusto. Se puede tener buen gusto en el vestir, y honestamente, sin necesidad de ser ostentosos, ni vanidosos. Nuestra apariencia exterior debe reflejar la belleza de nuestra alma. Una mujer cuya apariencia externa refleja santidad, es respetada y admirada por todos. *"Engañosa es la gracia y vana la hermosura; la mujer que teme a Jehová, ésa será alabada"* (Proverbios 31:30).

EL ORDEN DE DIOS

No estamos juzgando, criticando, ni condenando a nadie. Multitud de mujeres inconversas ignoran la Palabra de Dios al respecto. Se dejan llevar por lo que dice la moda, y usted no debe juzgarlas. Antes, debe predicarle para que se conviertan; luego puede ir explicándole esos detalles tan importantes. Si las critica o insulta públicamente, jamás se van a convertir así; usted está obstaculizando su conversión. No le hable de eso. Hábleles de Cristo, del Amor de Dios, de la sangre de Cristo que nos limpia de todo pecado. Una vez se hayan convertido, y sean salvas, ayúdelas a crecer en santidad para que guarden toda justicia. Dios es un Dios de orden.

En mis campañas han pasado al altar personas con amuletos religiosos colgando del cuello; y un hermano se le ha acercado y le ha dicho, "eso es del diablo, bote esa inmundicia". ¿Cómo le va usted a decir algo así a una persona que acaba de aceptar a Jesucristo, que no tiene conocimiento de nada, que es como un niño recién nacido. Abracémosle y digámosle que nos gozamos de que haya aceptado a Cristo. Que el Señor le ha perdonado y Su sangre le ha limpiado de todo pecado. Olvide por el momento el ídolo que tiene colgado al cuello; en el tiempo del Señor será quitado. Dios tiene un tiempo para todo. No se adelante a Dios, pues arruinará Su obra y servirá de obstáculo en lugar de bendición. El apóstol Pedro habla sobre este mismo punto, 1 Pedro 3:3-4. Pedro era apóstol de los judíos, mientras que Pablo era apóstol de los gentiles. Pablo dice que todo lo que él enseñó y predicó, lo recibió directamente del Señor. El no asistió a ningún seminario. Se apartó en ayuno y oración por un tiempo prolongado, y recibió toda la doctrina del Nuevo Testamento. Pedro dijo: *"Vuestro atavío no sea el externo, de peinados ostentosos, de adornos de oro o de vestidos lujosos, sino el interno, el del corazón, en el incorruptible ornato de un espíritu afable y apacible, que es de grande estima delante de Dios"* (1 Pedro 3:3-4). Esto es prácticamente una repetición de lo que dijo Pablo. Lo mismo para los gentiles que para los judíos. Dios no cambia, no se muda, no se arrepiente, no hace acepción de personas. La iglesia es una sola y la Palabra de Dios es para su santificación total. Dios pone a prueba nuestra obediencia; conviene que guardemos toda justicia. Gloria a Dios.

Si alguien dice: "Yo tengo el Espíritu Santo, predico y Dios me usa. Tengo el don de lenguas y siento la salvación"; no le voy a decir que está condenado. Dios no nos llamó a juzgar, ni a condenar. Eso le corresponde a Dios. Nuestra responsabilidad es enseñar la Palabra. La Biblia demanda que nos santifiquemos cada día más. Para que nuestro espíritu, alma y cuerpo sea guardado irreprensible para la Venida de nuestro Señor Jesucristo. Mateo 25 habla de diez vírgenes. Las diez eran vírgenes, apartadas del mundo, estaban limpias por dentro. Pero cinco de ellas se quedaron. Eran limpias y puras, y tenían la lámpara que es tipo de la Palabra en sus manos. Pero les faltaba aceite, que es la unción plena del Espíritu Santo, que Dios demanda para irse en el Rapto.

Este asunto del Rapto es muy delicado. El Rapto es para creyentes que han madurado totalmente, que son obedientes a la Palabra. La Biblia dice *"que los que guardaren la Palabra de Su paciencia, serán librados de la prueba que viene sobre todos los habitantes de la tierra"*. ¿Qué dice la Palabra de Su paciencia? *"El mismo Dios de paz os santifique por completo, y todo vuestro ser, espíritu, alma y cuerpo sea hallado irreprensible para la venida de nuestro Señor Jesucristo"*. La Biblia enfatiza que si es santo, se santifique aún más, y guarde toda justicia. Sólo creyentes maduros serán arrebatados.

Líbreme Dios de decirle a una hermana llena del Espíritu que está condenada, y va a ir al infierno. Pero sí me atrevo a decirle: "Hermana, hay algunas cosas que usted no está practicando; la Palabra dice que conviene que cumplamos toda justicia".

Hay cosas que convienen porque nos van a limpiar más. Hay que apropiarse de ellas, pues Dios nos ha llamado a ser perfectos. Despojémonos de aquellas cosas que escandalizan al resto del pueblo de Dios. La Biblia dice que si el comer carne hace tropezar al hermano, no comamos carne. Comer carne no es pecado. Sin embargo, si ello hace tropezar a tu hermanito por quien Cristo murió, el Señor demanda que no lo hagas. El reino de los cielos no consiste en comida, o bebida, sino en gozo y paz del espíritu.

EL CABELLO

En 1 Corintios 11:13-15 se nos dice: *"Juzgad vosotros mismos, ¿Es propio que la mujer ore a Dios in cubrirse la cabeza? La naturaleza misma, ¿no os enseña que al varón le es deshonroso dejarse crecer el cabello? Por el contrario, a la mujer dejarse crecer el cabello le es honroso, porque en lugar de velo le es dado el cabello".* No es cuestión de buscar una regla para medirle el cabello a la gente, eso es una exageración. Sin embargo, la Biblia enseña que LA MUJER DEBE TENER EL CABELLO LARGO, mientras QUE EL VARON DEBE TENER EL CABELLO CORTO. Hay hombres que al mirarlos dan la impresión de tener cabello de mujer.

La Biblia dice que el cabello le es dado a la mujer a manera de velo, para que le cubra la cabeza como SEÑAL DE QUE ESTA SUJETA A SU MARIDO. En la antigüedad las mujeres usaban un velo para indicar que estaban sujetas a sus maridos. En el Nuevo Testamento la mujer sigue sujeta a su marido, pero también está SUJETA A CRISTO que es el marido por excelencia. Tiene que obedecer a su marido en todo, excepto en aquello que sea desobediencia a Dios. Es necesario obedecer a Cristo antes que a su marido. Si su marido pretende que haga algo contrario a la Palabra, dígale que lo siente, y déle un beso y un abrazo, prepárele la comida que más le guste, pero dígale, "debo obedecer al Señor, si no, nos perdemos los dos". El velo es señal de que la mujer está sujeta a Cristo y a su marido, y el cabello le ha sido dado a manera de velo. Por eso, conviene que la mujer se deje crecer el cabello para que le cubra la cabeza, y cuando ore, esté cubierta, y muestre que está sujeta a su marido y a Cristo. Conviene que guardemos toda justicia. La mujer inteligente, sensata y prudente se esfuerza en agradar a Dios. Estoy hablando de que conviene que guardemos toda justicia. De que el que esté limpio, se limpie más, y el que esté santo, se santifique más; de que VIENE UN RAPTO, y sólo AQUELLOS QUE SON SANTOS EN ESPIRITU, ALMA Y CUERPO SE IRAN CON EL SEÑOR.

En Apocalipsis 9:7-8, hablando de los demonios-langostas que invadirán la tierra en estos días y herirán a la humanidad, dice: *"Sus caras eran como caras de hombres..."*, esto implica que la cara del hombre no es igual a la cara de la mujer. Y sigue diciendo: *"...tenían cabello como cabello de mujer..."*

Hay una diferencia entre el cabello de la mujer y el cabello del varón. Hoy día, a menudo uno mira un hombre por detrás, y cree que es una mujer, porque tiene cabello de mujer. Pero también hay mujeres que parecen hombres, porque tienen un recorte de varón. La gente reconoce que es un recorte de varón, pues dicen: "Mira, se dio un boy", que significa niño, implicando que es un recorte masculino.

El cabello le ha sido dado a la mujer a manera de velo, para que se cubra, para que muestre que es diferente al varón. Para que muestre, que como cristiana, está sujeta a Cristo, aunque sea señorita. Pues aunque no se haya casado con un varón aquí abajo, está casada con Jesucristo. Ya tiene el esposo más grande, y por lo tanto, debe dejarse crecer el cabello para que la cubra. ¿Cuán largo? La Biblia no dice, pero sí dice que la tiene que cubrir lo suficiente para mostrar que usted es mujer y no varón, y que usted está sujeta a su marido. ¡Aleluya!

Si la mujer se recorta como un varón, está desprestigiando al Señor, pues la Biblia dice que es deshonra, para ella y para Dios. Estoy hablando de mujeres convertidas. Pero las que se han convertido y se recortan como hombre, están avergonzando a su Dios, quien ellas dicen ser el dueño de sus vidas. La Palabra dice que hay que honrarlo. De modo que si usted le pertenece, déjese crecer el cabello. Asegúrese que tiene cabello de mujer y no de varón. Obedezca a Dios en lo poco, para que El la pueda poner en lo mucho. ¡Cuídese; que el Rapto viene!

TODO PARA SU GLORIA

En la Biblia hay una prueba a la cual debe ajustarse todo lo que hagamos, no solamente este asunto del cual estamos hablando, sino también cualquier otro. Trate de ajustar todo lo que hace a esta prueba bíblica. Si se ajusta, dé gloria a Dios, y si no se ajusta, cuídese. La Biblia dice: *"Y todo lo que hacéis, sea de palabra o de hecho, hacedlo todo en el nombre del Señor Jesús, dando gracias a Dios Padre por medio de él"* (Colosenses 3:17). *"Si, pues, coméis o bebéis, o hacéis otra cosa, hacedlo todo para la gloria de Dios"* (1 Corintios 10:31). Si lo que usted hace se ajusta a este reclamo bíblico, no hay problema. Cuando la mujer se recorta como un varón, ¿lo está haciendo en el Nombre de Jesucristo y para gloria de Dios Padre? ¿Puede pararse firme y decir, "corté el pelo corto para la gloria de Dios"? ¿Puede decir que usa pantalones y ropa ceñida para la gloria de Dios? Lo que no se ajuste a ese reclamo de Dios, está fuera de la Palabra. Cristo dijo: "Obediencia quiero".

En Isaías 3:18-21, el profeta de Dios, hablando del GRAN DIA DE LA VENIDA DEL SEÑOR, dice: *"En aquel día quitará el Señor el atavío del calzado, las redecillas, las lunetas, los collares, los pendientes y los brazaletes, las cofias, los atavíos de las piernas, los partidores del pelo, los pomitos de olor y los zarcillos, los anillos y los joyeles de las narices"* ¿Qué implica eso? Dice que los quitará, quiere decir que estas cosas están en SU VOLUNTAD PERMITIDA, NO ESTAN EN SU PERFECTA VOLUNTAD. Si usted los tiene, yo no la voy a juzgar por ello. No le voy a decir que está condenada, ni que se va a ir al infierno por ello. Pero usted no está en la perfecta voluntad de Dios, porque si El los va a quitar es porque no le agradan lo suficiente como para dejarlos. En el milenio, también VA A QUITAR LA POBREZA. ¿por qué? Porque no le agrada. El desea que usted tenga abundancia. EL VA A QUITAR LAS ENFERMEDADES. ¿Por qué? Porque no son de El. Son del diablo. También va a quitar la fiereza de los animales, y las vanidades externas que le agradan a tantos cristianos hoy en día.

En el milenio, todo lo que esté fuera de Su perfecta voluntad será quitado, porque El estará reinando como único amo y Señor de la tierra. Los adornos que las mujeres usan para verse más atractivas, Jesús los va a quitar. Si El los va a quitar en el milenio, ¿por qué no los quita usted ahora? Nos conviene lo que está en la perfecta voluntad de Dios. En la voluntad permitida de Dios, un pastor puede ir a pastorear a un lugar donde Dios no lo ha enviado, no podemos decir que está condenado, pero sí que está fuera de la perfecta voluntad de Dios donde no hay garantía de nada. Quizás le va mal y no da fruto, podría terminar enfermo y sin paz. Nuestro reto es estar en el centro de la voluntad de Dios. Amén.

El que es sabio y prudente, no sólo actúa de acuerdo a la Palabra, sino que busca hacer la voluntad divina y pide a Dios: "Ubícame en el centro de tu perfecta voluntad; no permitas que me aparte de ella; lo que esté haciendo que no esté en tu perfecta voluntad, muéstramelo para quitarlo". Si está en la Biblia, no le pida a Dios que se lo muestre. Muchas siervas de Dios dicen: "Señor, si me dices que me quite los zarcillos, me los quito". Dios nunca se lo dirá, pues la Biblia dice bien claro que nuestro atavío no sea el externo, y dice que Dios va a quitar todo eso en el milenio. No haga como Balaam que insistió en ir a Moab, después de que Dios le dijo que no fuera, Dios se lo permitió, pero le costó la vida. De la misma manera, Dios puede permitir que la gente se mueva en su propia voluntad, pero a la larga puede costarle el Rapto y hasta la salvación. Por tanto, obedézcalo y no le diga que le confirme algo que ya está escrito en Su Palabra, y que usted debe obedecer.

ZARCILLOS SON QUITADOS

En Génesis capítulo 35, del verso 1 en adelante, dice que Dios llamó a Jacob y le dijo: *"Levántate y sube a Bet-el, y quédate allí; y haz allí un altar al Dios que se te apareció cuando huías de tu hermano Esaú. Entonces Jacob dijo a su familia y a todos los que con él estaban: Quitad los dioses ajenos que hay entre vosotros, y limpiaos, y mudad vuestros vestidos"* No estaban capacitados para levantar altar de adoración a Jehová si no quitaban los dioses ajenos; los ídolos que tenían. Lo de los ídolos es cosa seria, pues la Biblia dice que los idólatras no entran al reino de los cielos. Pero también les dijo, *"límpiese"* y *"...Subamos a Bet-el; y haré allí altar al Dios que me respondió en el día de mi angustia, y ha estado conmigo en el camino que he andado"*.

Los israelitas dieron a Jacob todos sus dioses ajenos, pero además se despojaron de los zarcillos que tenían en sus orejas. Las mujeres de Israel entendieron que los zarcillos, al igual que los ídolos, NO ESTABAN EN LA PERFECTA VOLUNTAD DE DIOS. Con ellos no se sentían lo suficiente limpias para levantar altar a Jehová. Por eso la Biblia dice que el que ESTE SANTO, SE SANTIFIQUE MAS, y el que esté limpio, se limpie más, pues hay cosas que no acarrean condenación, pero que hay que quitarlas para alcanzar mayor bendición con Dios.

En el Nuevo Testamento, Pedro dice que nuestro atavío no sea el externo. Una escritura confirma la otra. Aquellos que los usan, están en la VOLUNTAD PERMISIVA DE DIOS. Los que no están de acuerdo con esto, tampoco deben predicar en contra, pues estarían robándole bendición a un pueblo que anhela acercarse más a Dios, ya que estarían sembrando dudas al respecto. No traemos esta enseñanza con espíritu de crítica o condenación, pues sólo Cristo puede juzgar. La traemos con amor y con el anhelo de que el pueblo crezca, se levante con poder, y esté preparado para el día glorioso del levantamiento de la Iglesia de Jesucristo.

CREACION DE EVA

Cuando Dios creó a Eva, la creó mujer, y en forma completa y natural. (No salió del vientre de ninguna mujer). Nadie puede decir que Dios la creó pintada, o con zarcillos, collares, o cualquier otro adorno externo. La creó natural. ¿Falló Dios? ¿Se equivocó? ¿Creó algo que había que mejorar? Veamos lo que dice la Biblia.

En Génesis 1:31 dice: *"Y vio Dios todo lo que había hecho, y he aquí que era bueno en gran manera".* No era bueno solamente, ERA BUENO EN GRAN MANERA. Es decir, más que bueno. Con razón Adán amaba tanto a Eva, la amó hasta el punto que prefirió morir antes que perderla, pues cuando Eva cayó en tentación, Adán comió y participó del destino de muerte con ella. No deseaba perder aquella mujer tan hermosa por nada. Eso prueba lo bella que era Eva. Y Dios no la creó pintada, ni con zarcillos, ni collares, sino natural. Aun los alimentos eran naturales. No comían carne, ni nada artificial, sino frutas y semillas de árboles. Todo era natural. Y Eva también lo era.

Entonces, ¿por qué hoy en día queremos mejorar la apariencia? Sencillamente quieren mejorar lo que Dios hizo. Es como decirle a Dios, "lo que tú hiciste no es lo suficientemente bueno; deseamos mejorarlo". Dios lo hizo todo bien. Vamos a dejar las cosas como El las hizo. El vio todo lo que había creado; incluyendo a Adán y a Eva, y lo halló bueno en gran manera. ¡No dañe lo que Dios hizo! No se llene de vanidad por tratar de lucir mejor. Haga conforme a la Palabra que es la PERFECTA VOLUNTAD DE DIOS.

ANDAD CONFORME AL ESPIRITU

La Biblia dice: *"Andad en el Espíritu y no satisfagáis los deseos de la carne"* (Gálatas 5:16). *"El ocuparse de la carne es muerte, pero el ocuparse del Espíritu es vida y paz"* (Romanos 8:6). *"Los que son de Cristo han crucificado la carne con sus pasiones y deseos" (Gálatas 5:24).* Eso es Palabra de Dios para el pueblo que está esperando el Rapto. Para el pueblo que dice ser de Jesucristo.

Muchos quieren justificar sus acciones. A éstos, no para avergonzarlos, ni juzgarlos, sino para conscientizarlos, les pregunto: "El maquillarse, ¿es un sentir de la carne, o del Espíritu? Dios dice, *"andad conforme al Espíritu".* Hasta un niño sabe que el maquillarse no es un sentir del Espíritu; que es un sentir de la carne, que desea lucir mejor, más atractiva; que desea mejorar lo que Dios hizo. Es como si le dijera a Dios: "No hiciste mis labios perfectos, los voy a mejorar". No trate de mejorar lo de Dios, pues en realidad lo está desmejorando. Lo está dañando.

En la voluntad permisiva de Dios, se puede buscar a Dios con sinceridad, orar y ayunar y recibir el bautismo del Espíritu Santo, pero se corre el riesgo de perder la gran bendición de irse en el Rapto de la Iglesia y de agradar a Dios a plenitud. La perfecta voluntad de Dios es que usted ande conforme al Espíritu. Que todo lo que usted haga, lo haga en el Nombre de Jesús y para gloria de Dios Padre. Ninguna mujer se atreve tomar el lápiz de labio y pararse frente al espejo y decir: "En el Nombre de Jesús, y para tu gloria, Padre". Lo hace para tratar de lucir mejor. Es un sentir de la carne. Pero yo le diría: "Si está limpia por dentro, límpiece también por fuera, si está santa por dentro, santifíquese también por fuera". Pues la Biblia dice, *"Que todo vuestro ser, espíritu, alma y cuerpo, sea guardado irreprensible para la Venida de nuestro Señor Jesucristo".* Una cosa es la voluntad permisiva de Dios, en la cual siempre hay pérdida, y otra cosa es la perfecta voluntad de Dios, en la cual hay ganancia.

JEZABEL

No quisiera tener que decir esto, pero Dios me demanda que lo haga. La única mujer de la Biblia que se pintó fue Jezabel. Lo hizo para lucir más atractiva y engañar a Jehú, siervo de Jehová que venía a gobernar, pero no lo logró. La Biblia dice que fue lanzada desde el palacio, y los perros comieron sus carnes (2 Reyes 9:30). Líbreme el Señor, de juzgar a ninguna mujer. Yo conozco mujeres que se pintan, y sé que hay amor de Dios en sus corazones, pero sé que si se quitan las pinturas y los adornos, van a estar aún más en la perfecta voluntad de Dios de lo que están ahora, y podrán tener comunión con todo el pueblo de Dios.

PERFECTA VOLUNTAD DE DIOS

En la voluntad permisiva de Dios se hacen tantas cosas. La gente come alimentos que los médicos dicen que son dañinos. Es lícito que se los coman, pero, ¡cuántos están pagando las consecuencias! Gran parte de la humanidad está enferma y algunos mueren antes de tiempo, a causa de toxinas que esos alimentos producen en la sangre de los seres humanos. La perfecta voluntad de Dios es que usted consuma alimentos sanos y naturales como El los creó, y no alimentos refinados y saturados de preservativos producidos por el hombre.

Los adornos están en la voluntad permisiva de Dios, pero no convienen. ¿Por qué no convienen? Porque la Biblia dice lo contrario y conviene moverse en la perfecta voluntad de Dios. Yo no me conformo con que Dios me use, sino que me esfuerzo por estar en el centro de la perfecta voluntad de Dios, pues esto me garantiza que me iré en el Rapto. Yo quiero escapar de la Gran Tribulación. Los que se queden van a saber lo que es persecución, martirio y tragedia como jamás se ha visto en esta tierra perdida.

La Biblia dice: *"No toquéis lo inmundo"* (2 Corintios 6:17). Ese modernismo de afuera, ¿es del cielo o del mundo? ¿De dónde son las pinturas, collares, pantallas, pulseras, peinados ostentosos, ropa ceñida, etcétera? ¿Quienes los producen, promocionan y usan todo eso? Los mundanos. Personas que no tienen a Cristo en su corazón y recurren a todo eso para llenar el vacío que les agobia, ¿Cómo es posible que una mujer cristiana, llena del Espíritu Santo, luzca igual que una pecadora?

La Biblia dice que estamos sentados en regiones celestiales con Cristo. Digo estas cosas en el amor de Dios, porque quiero que mis hermanitas, a quienes amo en el Señor, estén más cerca de Dios cada día. Que sean más santas y limpias cada día, y sean un ejemplo precioso de lo que es la plenitud del Evangelio de Cristo, que limpia por dentro y por fuera. Somos cartas abiertas para que la humanidad vea que somos distintos al mundo, cuyo príncipe es el diablo.

Si la Biblia dijera que el atavío externo agrada a Dios, yo lo aceptaría. Pero dice que vuestro atavío no sea el externo. Si dijera que la mujer puede usar su cabello igual al del varón, yo lo aceptaría. Pero la Biblia dice que no es con cabellos rizados, que se deje crecer el cabello; y que hay cabello de mujer y cabello de varón. Por tanto, tengo que predicarlo porque es una bendición para las hermanas, ya que conviene que guardemos toda justicia. *"Por cuanto has guardado la palabra de mi paciencia, yo también te guardaré de la hora de la prueba que ha de venir sobre el mundo entero, para probar a los que moran sobre la tierra"* (Apocalipsis 3:10).

Muchos se preguntan por qué Dios usa a una mujer pintada, con pantallas, y recortada en forma exagerada. Porque está limpia por dentro. Porque su espíritu está lleno del amor de Dios, de mansedumbre, de las cualidades de Dios, y su alma está llena de anhelos espirituales. Pero no está limpia por fuera. A ella le conviene guardar toda justicia; limpiarse y santificarse por completo. Le conviene porque está en la Biblia. Debe hacerlo, pues así no escandaliza ni hace tropezar a otros. Si el comer carne escandaliza al hermano, no coma carne. Del mismo modo, cambie la indumentaria de afuera que escandaliza a muchos hermanitos que quisieran tener comunión con usted y no pueden. Muchas hermanitas santificadas por fuera, pero no maduras espiritualmente, ven que el Señor usa a otras no santificadas por fuera y quisieran imitarlas. De modo que el daño más grande es que escandalizan y dividen la obra de Dios. Algunas de estas hermanas tienen un mensaje y una unción sobrenatural, y todo el pueblo de Dios las necesita. Pero montones de iglesias pentecostales no pueden abrirle las puertas. Están limitando lo que Dios les ha dado por causa de un atavío externo. Se están cerrando las puertas de muchos lugares en los cuales podrían ministrar, y no pueden tener comunión con un pueblo que también es de Dios, pero que no se deja llevar por la corriente del modernismo actual.

El pueblo de Dios podría estar más unido, combatiendo al diablo en todos los frentes, pero un atavío externo que no significa nada, ni añade nada, ni en nada edifica, contribuye a levantar paredes de división. El modernismo divide a la iglesia y escandaliza a multitud de hermanos que conocen Su Palabra. Jeremías 6:16 dice: *"Paraos en los caminos, y mirad, y preguntad por las sendas antiguas, cuál sea el buen camino, y andad por él, y hallaréis descanso para vuestras almas"*.

Vivimos en la dispensación de la gracia, una dispensación nueva, la dispensación de la iglesia apostólica. Pero hay una senda antigua, la senda de la santidad a Jehová, por la cual debemos caminar. Si decidimos caminar por esa senda, alcanzaremos a toda plenitud, la unidad gloriosa por la que estamos clamando. Así tendremos comunión los unos con los otros, y unidos como un solo cuerpo nos moveremos hacia la victoria. La trompeta está a punto de sonar.

El que esté limpio, límpiese más. El que es santo, santifíquese más. El que es justo, abunde en justicia y muévase en el amor de Dios. Muévase conforme a Su Palabra; los que guardan la Palabra de Su paciencia, VOLARAN EN EL RAPTO QUE VIENE.

Durante la campaña en Guatemala, Dios me mostró que hablara sobre ciertos puntos relacionados con la SANTIDAD EXTERNA que son la clave para entender la verdad bíblica sobre este tema tan controversial. Algunos de esos puntos ya han sido mencionados, pero los vamos a presentar en forma resumida y organizada.

SANTIDAD EXTERNA

A. Forma de saber si un tipo de conducta es de Dios o no. Si es de Dios tiene que ajustarse a tres reclamos bíblicos fundamentales:

1. La Biblia dice que todo lo que hagamos de palabra o de obra tiene que hacerse EN EL NOMBRE DE JESUS Y PARA GLORIA DE DIOS PADRE. Pregúntese si lo que usted hace para cambiar su apariencia externa lo puede hacer en el Nombre de Jesús y para la gloria de Dios. Si no resiste este reclamo, no es de Dios.

2. Lo que usted hace para lucir mejor o cambiar su apariencia externa, ¿ES UN SENTIR DE LA CARNE O DEL ESPIRITU? Si es un sentir de la carne, entienda que el sentir de la carne es muerte.

3. Lo que usted hace por su apariencia externa, ¿ES CONFORME AL MUNDO Y A LOS PECADORES, O ES CONFORME A LA PALABRA DE DIOS? La Palabra es lámpara a nuestros pies y lumbrera a nuestro camino. La OBEDIENCIA A LA PALABRA es lo que nos mantiene en la PERFECTA VOLUNTAD DE DIOS.

B. El Señor me mostró que le predicara a Su pueblo: NO IMITES LAS MODAS DE LOS PECADORES. Me dio las razones claras y precisas.

1. La Biblia dice: No toquéis lo inmundo y yo os acogeré.
2. Estamos en el mundo pero no somos del mundo.
3. Las modas de este mundo son impuestas por impíos.
4. El príncipe de este mundo es el diablo.

Viva como los de arriba y esté preparado para el Rapto de la Iglesia.

"Y el mismo Dios de paz os santifique por completo; y todo vuestro ser, espíritu, alma, y cuerpo, sea guardado irreprensible para la venida de nuestro Señor Jesucristo" (1 Tesalonicenses 5:23).

Acerca del autor

José Joaquín Avila, es natural del pueblo de Camuy, Puerto Rico. Sus padres, la señora Herminia Portalatín y el señor Pablo Avila fueron destacados educadores en dicho pueblo. Apodaron a su pequeño con el nombre de Yiye Avila, siendo así que se le conoce en la actualidad en toda la América Latina y en Norteamérica. Fue hijo único y recibió una educación sólida de sus padres, quienes eran ejemplo y gozaban de la admiración y el cariño de sus compueblanos.

Yiye Avila, pasó su infancia en su área de nacimiento, Camuy Arriba, y como todo niño tenía ciertos entretenimientos preferidos. El casar palomas y tórtolas, que abundan en esa zona campestre, era uno de ellos.

Pasaron los años y pronto se convirtió en un joven luchador y destacado en todas las ejecutorias y metas que se establecía. Fue un brillante estudiante de la Universidad Interamericana, establecida en la ciudad de San Germán, Puerto Rico, y conocida en aquel entonces, como El Politécnico. Obtuvo allí un bachillerato en Ciencias Naturales y completó su premédica con miras a continuar sus estudios en medicina, lo cual era su anhelo. No sospechaba en aquel entonces que Dios le tenía preparado un DON DE SANIDAD DIVINA, el cual llevaría salud a los cuerpos de miles, por medio de la Oración de fe y del Poder Sanador que hay en Cristo Jesús.

Yiye Avila, contrajo matrimonio con la joven Carmen Delia Talavera, de cuya unión nacieron sus tres hijas: Noemí, quien es evangelista internacional, Ilia y Doris, quienes sirven al Señor también. Ellas han formado hogares cristianos y obsequiado a sus padres con nueve hermosos nietos.

Yiye Avila, fue un destacado educador por espacio de 21 años, en las materias de Química y Biología. Para esa época, los estudiantes luchaban para que en sus programas académicos tuvieran al profesor Avila como maestro, ya que poseía un hermoso don de gente y siempre le habían adornado unas virtudes que le ganaban el cariño y la simpatía de cuantos le trataban. Dios le había dotado desde entonces, aun sin ser convertido al evangelio, de una gracia, que más adelante, en las manos del Señor, llevaría bendición a cuantos le conociesen.

Paralelo a su profesión de educador, Yiye Avila se destacaba como un prominente deportista. En este campo fue un vencedor también. Por años fue un destacado pelotero, jugando en las clases A y doble A, a nivel aficionado. Era uno de los jugadores claves de su equipo. Si bien cosechó muchos triunfos como pelotero, fue realmente en el campo de la fisicultura, donde culminó sus dotes deportistas, habiendo obtenido el título de "Mr. Puerto Rico", para el año 1952. Paseaba para ese entonces su bien formada figura por muchos escenarios de la Isla, lo que le valió que pasara a competencias mayores en los Estados Unidos. Regresó a Puerto Rico con el título de "Mr. Norteamérica 1954", en su división de estatura.

Todo era triunfos para Yiye Avila en la plenitud de su juventud, hasta que de pronto apareció algo que cambió el curso de su vida. Dios tenía planes con ese hombre, que por sus triunfos deportivos, se convirtió en héroe de su tierra. Su secuela de éxitos tuvo un repentino "revés". Un "revés" que reflejaba los planes y propósitos de Dios para entrar a su vida y convertirlo en un canal de bendición para miles. Dios lo necesitaba para un campo mucho más excelente, para un campo que trascendería hasta los cielos de los cielos. El campo del Evangelismo Profético.

Un día aquel joven atleta, vigoroso y campeón fisiculturista, fue a hacer sus prácticas en el levantamiento de pesas, cuando de pronto notó que sus articulaciones se resistían y el dolor en sus rodillas y sus codos eran irresistibles. ¡Una artritis reumática, parecía el fin de todo! El diagnóstico de los médicos corroboró sus temores. Su enfermedad era tipo crónico y esto ponía fin a su carrera. ¡Cuán insondables y misteriosos son los caminos de Dios!

Pero, un día en su hogar sintonizaba la televisión, y un prominente predicador norteamericano estaba hablando. No pudo resistir escuchar aquel mensaje con el cual fue tocado. Escuchó la oración por los enfermos. Luego fue a su cuarto y tirándose de rodillas rindió su vida a Cristo. El Cristo que ahora predica como el Salvador y el Sanador, allí mismo lo salvó y también lo sanó. Cuando él vio que aquel milagro glorioso ocurrió en su vida, prometió que testificaría a todos acerca de este maravilloso Jesús y de sus poderosas hazañas. El que antes creía que vivía una vida interesante y a plenitud, acababa de descubrir la VERDADERA VIDA, EL VERDA-DERO GOZO, que sólo se encuentra en Cristo. Predicaría a todos que cuando toda alternativa se escapa a la mente del hombre, Cristo se glorifica operando maravillosos milagros.

Lleno de gozo por las experiencias nuevas que había comenzado a recibir, pues el Señor lo llenó de Su Espíritu Santo y lo llamó con voz audible a predicar UN MENSAJE PROFETICO DE ULTIMOS DIAS, el hermano Yiye Avila, inició una vida profunda de oración, ayunos y vigilias. Amanecía orando y recibiendo instrucciones específicas de parte de Dios acerca del MINISTERIO UNGIDO que ponía en sus manos. Por 27 años este varón, no ha cesado su vida de oración profunda y ayunos constantes. Aquel destacado deportista, fue detenido por Dios y llamado para convertirse en un evangelista de amor y dedicación tal, que no ha escatimado esfuerzos, ni sacrificios, para ir a los lugares más remotos, donde Dios le ha llevado a través de docenas de países. Millares y millares de almas han rendido sus vidas a los pies de Jesucristo y milagros gloriosos son operados en los cuerpos enfermos, luego de la oración de fe.

Ha sido recibido por gobernantes y presidentes en varios países. De notable humildad y profunda compasión por los perdidos, ha sido reconocido como un VARON UNGIDO por DIOS, quien ama a Jesucristo más que a su propia vida y cuyo único anhelo es, que las almas perdidas encuentren el camino (Jesucristo) que les conducirá al Reino Celestial.

A través del poderoso mensaje que Dios ha puesto en sus labios, ha dejado una estela de bendición a millares y millares de vidas en las docenas de países que ha visitado. Milagros gloriosos se observan durante sus predicaciones. Enfermos son sanados y libertados de las opresiones del maligno. En medio del gozo que el hermano Yiye Avila siente ante las manifestaciones del poder de Dios, se le escucha preguntar jubiloso: "¿Quién fue?", y junto a la multitud exclama: "¡CRISTO!" Y dándole toda la gloria a Dios, vuelve a exclamar: "Y a Su Nombre..." "¡GLORIA!" proclaman todos a viva voz. Así establece que la gloria pertenece sólo a Cristo y que él tan solo es un hombre totalmente rendido a los pies de Jesucristo, que incansable camina por el mundo invitando a otros a hacer lo mismo, ya que en Cristo y sólo en El, hay SALVACION Y VIDA ETERNA.

Gloria M. Velázquez
Misionera.
Ministerio Cristo Viene, Inc.